용의 비를 내리는 나라

3부
2

글·그림 **썸머**

D&C
WEBTOON BiZ

차 례

8화

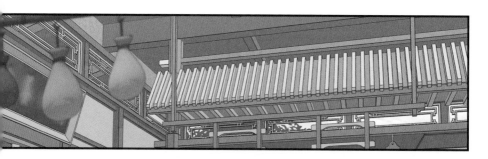

이제 기억나?

으응….

왜 갑자기
멍해졌지?

영양이
부족해서 그래.

맞아,
분명히….

친절한 사람들도
많은 곳으로

떠날까?

떠날까.

저 한마디를
듣고 싶어서

매일매일
안달 내던 때가
있었는데.

뭔가…
어린 시절엔,

이맘때쯤이면
행복할 줄
알았어요.

그때에 비하면 돈도 있고 원하면 어디든 갈 수 있는데…

왜 기분은 별로 좋지 않은 걸까요.

스우의 욕망은 단순히 어떤 물질을 원하는 게 아니라서 그래.

내가 스우를 화롯가에 앉혀 줄게.

원하는 건 일단 가져 봐야

그걸 진짜로 원했던 건지, 아닌지 알 수 있거든.

맞아,
단 한 번이라도….

그런 곳에서
아무렇지 않게
지내 보고 싶어.

발끝에
퍼지는 온기에
꾸벅꾸벅
졸아 보고 싶어.

타닥…

타닥…

그런 걸
원했던 것
같다.

장작의 불꽃이
튀는 소리에
깜빡 눈을 떴다가도
안심하고 싶어.

12

그러니까
동쪽은 싫어요.

하지만
저…

태자 전하와는
두 번 다시
만나고 싶지 않아요.

스우는 예전부터
수련을 상당히
의식하네.

그야,

콰!

13

제 수배 건도
무슨 꿍꿍이가
있는지…

맞아.
수련은
진짜 그래.

끄덕

떡

자기 목적을
위해서라면
사람은 수단으로밖에
여기지 않고,

거짓말쟁이에
속이 새까맣잖아요!

하지만
인간이 죄다
그렇긴 하지.

그 자식은
도가 지나쳐서
문제지만.

인간이 죄다
그렇다는 말은,

나 역시 비난받아
마땅하다고
돌려 말하는 걸까?

이렇게까지
생각이
뻗어 나가는 건

14

정상이
아닌가?

…사하라 님은
그 인간한테
죽을 뻔했으면서
용케 감싸듯 말하네요.

감싼다고?
내가, 수련을?
어디서 그렇게
느꼈어?

그냥…
방금 한 말에서.

잘 들어,
스우.

아무리
스우라고 해도
두 번 다시 그런 말
하지 말아 줘.

우웩ㅋ

…진짜
싫어하는군.

수련은 당장 죽어도
상관없을 정도로 싫어.

15

하지만,

그게 그 자식이
사는 방식이라면
내가 뭘 어쩌겠어?

이 남자에게서
가끔 느껴지는

관조적이면서도
무상한 태도가

나는 무척
좋은 것 같아.

아…

뭐…

얼추
떠나온 경위까지는
기억이 났어요….

뭐지?
스우 지금 엄청
뽀뽀해 달라고
말하는 것 같은
얼굴인데.

그런 얼굴 한 적
없거든요?

아니야,
했어.

아니,
그보다 가게는…
어떻게 맡게 된
거예요?

아,
여기 영감 후계자인
아들이 죽어서
우리가 들어앉았어.

뭐라고요?
그게 무슨ㅡ

한 며칠 더 있으면
이깟 약방,
우리한테 통째로
넘겨 버릴걸?

그럼 수우랑
신혼...

헛소리.

아…
영감 진짜
눈치 없네….

발정이 나거든
방으로 가라고
안 했냐.

선생님~!!

머리 다시 묶어 주세요~!!

서, 선생님?

현비마마 머리 해 주세요, 현비마마 머리~!

방

방

후우...

금방 기억나겠지만 우린 지금 한 달째 이 마을에 정착해서 살고 있어.

한 달?!

약방 동생! 여기 인삼탕 좀 두고 가니 먹어! 그래야 정신이 붙어 있지!!

...아, 고맙습니다!

또 정신이 나갔다 들어온 거냐?

선생님~! 빨리요!!

젊은 놈이, 쯧. 있어 봐라.

약이랑 같이 먹을 사탕이라도 찾아 줄 테니.

선생님!! 빨리요!!

빨리 다시 놀러 나가야 한단 말이에요!!

이… 일단 경대 앞에 앉아 보렴.

이번에는 금방 풀리지 않게 해 주셔야 해요!!

앗, 스우!
지난번엔
고마웠어!

나중에
시간 날 때 와서
밥이라도 먹고 가!

네가 없었더라면
모조품을
살 뻔했잖아.

선생님,
분명 우리 집 차차…
고양이를 그려 달라
그랬는데….

고양이가
목이 이렇게
길어요?

동생,
이거 달걀죽이야.
이따 형님 오거든
같이 먹고,

주인 양반한테
오늘 건 외상으로
달아 달라고, 알지?

약탕기 좀 보라니까
둘이 어딜 그렇게
싸돌아다니다 와?

그리 붙어 다니면
뭐라도 나온다냐?

아, 안 그래도 청소 마치고 잠깐 들르려고 했어요.

어제 물건은 잘 받으셨죠?

…고양이 맞는데….

다, 다시 그려 줄까?

불은 이 정도로만 유지하면 될까요?

동네 약방이라 단골 장사만으론 크게 남지 않네요.

정기적으로 납품을 할 수 있으면 좋겠는데 또 그만큼 손이 받쳐 주지도 않고.

돈은 얼마든지 만들 수 있는데, 뭐.

그건 그렇지만….

어르신은 우리가 죽은 아들 또래에다 난민 같아서 받아 준 건데…

갑자기 돈이 많다는 걸 알게 되면 껄끄러워질지도 모르잖아요.

인간이면 돈은 다 좋아하는 거 아니야?

어린 놈이 건방지게 돈 자랑을 해!

이유 없이 받는 건 싫어하는 사람도 간혹 있어요.

당분간은 계속 평범하게 섞여서 살아요.

24

행복….

일단 특별한…
특별한 일이 없는 한
이 마을에 계속
머물고 싶기는 해요.

벽지라 조용하고…
사람들도 친절하고….

그래.

항상,
행복은 나에게
하늘의 별이나
태양과 같다고
생각했다.

그럼 여기
계속 있을까.

멀리서
볼 수만 있을 뿐
절대 손으로
잡을 순 없으니까.

하지만 사실
그렇게 거창한 게
아니었을지도
모르겠다.

행복은…
내가 원할 때
초를 끌 수
있는 거야.

누구의 허락을
받지 않고도
창문을 열고
바람을 맞을 수
있는 거고…

아주 당연하게
내일이
오는 거야.

조용하다….

더 이상
남을 속이거나
거짓말을
하지 않아도

스우.

아직 새벽인데
거기서 뭐 해?

아하하하,
뺨에 눌린 자국.

응?
그게 무슨
상관이지?

스우가 마음대로
빠져나가니까….

몰라….

…며칠 전에
물어봤던 거,

전 이 정도면
충분한 것 같아요

다행이네.

그럼 스우도
날 행복하게
해 줘 봐.

앗… 이제 곧
아침인데요.

괜찮아, 스우만
조용히 하면….

쿨럭!!
쿨럭!!

쿨럭!!

아… 진짜
시끄럽네.

어르신 감기가
오래가네요.

이러다
폐병으로라도
번지면 큰일인데.

갈수록 심해지는 게
귀에 거슬러서
슬슬 죽일까
생각 중이야….

하지만

고요 속에서 이게 행복일지도 몰라, 하고 생각할 때마다

죽인다니… 농담이죠?

함께 고개를 드는 위화감이 있어.

맞아, 농담이야.

이 남자는 이 행복과 어울리지 않는다.

스우,
좋은 아침~!

항상 주던 걸로 줘.
약효는 너무
약하지 않게.

서서히
양을 줄이는 게
좋아요.

의존이 심해지면
그게 더 문제니까.

아하하.
스우는 어릴 때부터
잔소리가 심하다니까!

아니, 컸다고
조금은 줄어든 건가?

…어릴 때요?

가엾…

나 그런 말
한 적 없는데?

…어라?

스우,
좋은 아침~.

왜 오늘은 안 깨우고
혼자 먼저 나갔어?

…너무
곤히 자길래.

뭔가….

아,
그랬구나~

상관없으니까
다음부터는
꼭 같이 나가자.

뭐 해?
영감은?

오늘은 쉰대요.
전 대추 다져요.
어르신 생강차에
같이 넣어 드리려고

영감님 감기가
빨리 나아야 할 텐데,
그치?

…뭔가….

저기…
저 잠깐 걷고 올게요.
답답해서.

같이 가.

같이 가면
가게는
누가 봐요?

뭐야,
혼자만~!

요 앞에서
바람 쐬고
금방 올 거예요.

…….

뭔가…
이상한 거
아닌가?

잘됐다!
마침 약방 가는
길이었는데.

아, 안녕….

선생님!!

엄마가
말린 약재들 몇 시에
가지러 가면 되냐고
물어보래서요.

오늘은
어르신도 편찮으셔서
이따 여쭤보고
직접 갖다드릴게.

맨날 친구랑
붙어 다니더니
오늘은 혼자네.

왜, 그…
맨날 나한테 머리
묶어 달라 하고….

친구요?

…?

그런 친구 없는데요.

우와, 맛있겠다. 꼭 들를게.

아하하, 선생님. 왜 그런 말씀을 하세요?

응? 내가 왜?

쿡쿡쿡….

…싸웠나?

아! 그럼 이따가 어르신 드릴 밀과도 가져가세요!

선생님은 그런 거 안 드시잖아요.

......

아니야,
선생님도
단 거 좋아해.

그럼 이따
저녁에 오신다고
말씀드릴게요!

어라.

왠지 오늘은 아침부터 이상하고 걱정돼서.

…거기서 뭐 해?

저기,

갑자기 이상한
질문이긴 한데…

우리가 처음
들렀던 마을에서,

사하라 님이
최면 같은 걸 써서
검문을 피했던 적
있잖아요.

아아…
응, 있었지.

그런 거
몇 명이나
가능해요?

갑자기 그게
왜 궁금한데?

갑자기
궁금하면
안 돼요?

아니, 그런 건
아니지만.

몰라?
안 세어 봐서.

대충이라도,
어림잡아서.

대충이면 한…
이…

이십?
스무 명?

아니,
한 이만 명
정도.

명령의
정도에 따라
다르지만.

…누구에게나
통하는 거예요?

아니,
딱 한 사람한테는
안 통해.

수련한테는
안 돼.

반대로 수련도
날 치유할 수는
없을걸?

전진해라, 같은
단순한 명령이면
그 이상도 가능할지도?
아직 안 해 봤지만.

오빠...

그럼 혹시…

혹시
나한테도….

스우, 무슨 일 있어?

…그럼 혹시 나한테도 쓴 적 있어요?

—라고 물어보고 싶은데,

혹시 누구랑 만났어?

왜 그래?

아니… 아무것도 아닌데.

그럼 빨리 가자. 가게 비워 둔 거 알면 엄청 잔소리할걸.

동시에 물어보기 싫어.

깊게
생각하지 마.

생각하지
않는 게
행복이야.

철컹…

쿨럭!!

쿨럭!

어르신
기침 소리…

이 시간에
어디 갔지…?

별일이네….

침대에선 절대
안 떨어지려고
난리 치는 인간이.

아,
찾았다.

저런 골목에서
혼자 뭐 하는 거지.

아니… 누구랑
이야기하는 건가?

사….

왜 저 남자가
여기에…?!

9화

저 남자가
대체 왜 여기에?

설마 둘이 계속
연락하고 있던 건가?

무슨 얘기를
하는 거지?

그러니까,

화륜은
이대로 계속 스우를
방치하겠다고?

왜 또 결론이
그렇게 됩니까?

그분이
지금 어떻게
황궁을 비우신단
말입니까?

지금 네놈이
지껄인 말의 요지가
그랬잖아.

여기서 스우가
굶어 죽든 말든
그 자식은 상관 않겠단
말로 들리는데.

그리 들리게끔 하는 게 그분의 특기입니다.

피…?

신경 쓰지 않는 인간을 위해 거의 매일 죽기 직전까지 피를 뽑는 사람은 없겠죠.

게다가 그렇게 뽑아 봐야 쓸 수 있는 건 극소량이니…

혈정석을 만드는 건 상당히 까다로운 일이라고요.

…설마.

스우윽.

이거 먹으면
나아질 거야.

그때
먹은 게…

이 시점에서
이런 짓들이 얼마나
인적, 재정적 낭비인지
말하지 않아도
아시겠죠.

으으…

제도에서는 이미
황제 폐하께서 병으로
붕어하신 게 아니냐는
말이 돌고 있습니다.

이제
은폐하는 것도
한계예요.

조만간 누군가는
즉위할 겁니다.

우우우…

귀비는 실각했지만 아직도 그 세력은 조정에 깊숙이 관여하고 있습니다.

폐하의 밀지를 받들던 태감들이 매수되어 최근엔 폐하께서 남기신 성지의 존재까지 공식적으로 거론되는 중이고요.

그 성지의 내용이 황태자의 폐위에 관련되었단 소문은 이미 예전부터 황궁에 파다했지요.

그러니 호국룡께서도 어서 황궁으로 돌아와 저들에 맞서 태자 전하의 정통성에 힘을 실어 주셔야 하는데….

촌구석에서 인형놀음이나 하고 계시니…

성지의 행방에 대해 아시는 바는 없으시겠죠?

몰라, 난. 그런 거.

지금까지 수련이 라한의 다음 제위를 이을 인간이라고 생각했지만,

그 자식이 나를 저주하면서…

스우가 나타났고, 모든 게 지금까지의 순리와 달라졌으니 또 모르지.

나는 인간사에 간섭할 마음 없어.

그 여자 배 속의 아이에게서도 라한의 권능이 느껴진 건 사실이니까.

…호국룡께서는 관대하시고 인간사의 원은에 무심하시니 당연히 그리 말씀하시겠으나,

귀비가 제위를 포기하지 않는 한, 스우 님과 호국룡께선 계속 목숨을 위협받을 겁니다.

귀비는 이미 호국룡을 태자 전하의 강력한 한 수로 여기거든요.

워럭

당신께선 그때 귀비의 기우제에 답하며 스우 님을 도왔다고 생각하셨을지 모르겠으나,

실은 스우 님을 위험하게 만든 일에 지나지 않습니다.

그건 스우의 바람이었어!!

스우가 바란다면 난 들어줄 수밖에 없어!

어쨌든 결과적으로 귀비의 기우제가 뒤엎어진 이상, 저희 같은 인간들에게는 호국룡께서도 태자 전하와 한패로밖에 보이지 않는답니다.

여기까지 오면서도 귀비의 자객으로 의심되는 상인을 둘 정도 죽여 버렸네요.

60

여기도 노출된 것 같으니 조속히 환궁하셔서 태자 전하께 힘을 보태 주시면 좋겠습니다만.

…….

무슨 말인지 알겠는데,

지금은 안 돼.

스우가 돌아가고 싶지 않다고 했단 말이야. 그리고….

그리고 행복하다고 했어….

난 스우를 행복하게 만들어 주고 싶어.

아무것도 모른 채
가져다 바치는
혈정석만 받고,
그것도 모자라면…

마을을 점거해
농장처럼 쓴다는 발상에는
저 개인적으로도
매우 감탄했습니다만….

그렇게
멍청히 있으면
당연히 행복하겠죠.

어린애든 뭐든,
인간까지
잡아먹으니까.

결코
인간에게 걸맞은
행복은 아니지요.

스우 님께서
모든 걸 눈치채기 전에
결단하시는 게
좋겠습니다.

뭐…
인간을 먹으며
인간들 사이에
섞여 살고 있으니,

우식…

흐…

이미 인간이
아니지만요

스우가 울면
가슴이 찢어질 거
같단 말이야.

하지만…
황궁으로
돌아가자고 하면
스우가 울 텐데….

예전엔
이 정도까지는
아니었는데….

하….

그리고,

누가 감히 우리를
해칠 수 있겠어?

내가 전부
죽여 버릴 텐데.

아— 됐어, 됐어.
이만 가 봐.
피곤하구나.

당분간은
이대로 지낼 테니
피나 제때제때 보내.

…우리 주인께서
달고 사시는
말이 있지요.

주중적국(舟中敵國)
이라.

지금 누굴
가르치려 들어?

이해관계가
맞지 않으면
같은 배를 탔다 해도
적이 됩니다.

인간사에야
관심 없으시겠지만…

인간은
그렇습니다.

아아···

라아···

···스우?

씨익!

끼익...

덜컥

주중적국이라.

이해관계가
맞지 않으면

같은 배를
탔다 해도
적이 됩니다.

물끄럼...

...스우.

왜
자는 척해?

…어디
다녀와요?

왜
자는 척했냐고.

그냥…
자다 깼는데 옆에 없길래
돌아오면 놀라게 해 주려고
그래 봤어요.

아, 그럼 더
모른 척할걸.

스우
심심하구나?

이제 여기도
재미없어졌어?

맨날 나한테만
행복하냐고 묻고,

…그리고 보면
사하라 님 기분은 어떤지
한 번도 물어본 적
없던 것 같아서요.

나?

…그러는
사하라 님은
어떤데요?

나는
스우만 있으면
어디든 좋아.

꼬옥

스우는 이런 데서
뭐 하는 거예요?
갑자기 사라져서
엄청 걱정했어요.

황궁은 그 뒤로
아주 난리가
났다고요.

그게….

아니,
길게는 말 못 해.

사하라 님이
돌아오기 전에
가야 돼.

지금 어디
묵는 중이야?

나 좀
도와줘.

…스우,
괜찮아?

이상하다.

음식의 맛이
있고 없고의
문제가 아니야.

그만 치우자.
한 입도 제대로
못 먹고 있잖아.

괜찮아요….

마치
여물을 먹는
기분이야.

섭식 자체에
거부감이 들어.

아니… 그냥,
몸이 좀 안 좋아서
그래요.

앞으로는 이렇게
알아서 챙겨 먹을 테니까
식사에 신경
안 써도 돼요.

그럼 이만
먼저 들어가마.

네, 저녁거리
사 갈까요?

됐다. 가는 길에
내가 사면 돼.
들른다고 미리 말한
손님까지만 받고
너희들도 들어와.

근데 스우, 넌 왜 또
남의 집 시종 같은 옷을
주워 입었어?

저는 이게 편해서…
조심해서
들어가세요~.

스우.

어제부터 뭔가
이상해.

잠깐
손 좀 줘 봐.

네?
갑자기 왜….

아까
몸이 안 좋아서
하나도 못 먹었지?

이거 먹으면
좀 나아.

10화

우욱….

스우,
도망치면
안 돼.

옛날에 스우도
그랬잖아.
식사는 천천히,
한자리에서.

자,
마지막 하나.

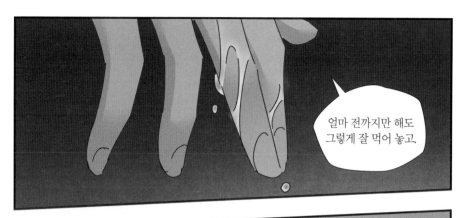

얼마 전까지만 해도 그렇게 잘 먹어 놓고.

스우는 마음이 너무 금방 바뀌는 것 같아.

아니야?

왜….

지금 엄청 화내고 있잖아요!!

내가 왜 스우한테 화를 내겠어? 나는 그냥…

그냥 스우가…

…나 그동안 스우한테 거짓말한 걸지도 몰라….

87

스우가 원하는 거랑
내가 원하는 건
다를지도 몰라…

나,
스우가…

인간들 틈에
있는 거
싫은 것 같아…

사실 이 마을도
재미없고 지루해.

저기…
실례합니다.

황궁에서
알고 지내던 분이
여기서 일한다고
해서….

제가 때를
잘못 맞췄나 봐요.

다음에
다시 올까요?

아, 가회.

사하라 님,
가회예요.
기억나세요?

우연히
근처라고 들어서
보러 오라고
했거든요.

가게도 닫았으니
잠깐 나가서
이야기 좀
하고 올게요.

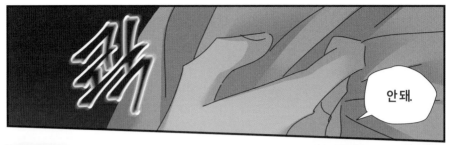

안 돼.

가지 마,
스우.

가면 저걸
죽이겠어.

오랜만에 만나서
반가워서 그래요.
얘기만 하다 올게요.

안 돼.
허락 못 해.

가면…

이 성 안에
살아 있는 건 전부
죽여 버리겠어.

스우랑 잘 지내던
영감도 죽이고,

거리의 인간들도
모두 죽일 거야.

…사하라 님은 어쩜 저를 이렇게 모르세요?

저를 협박할 때 다른 사람을 죽인다, 없애겠다, 하는 건 안 통해요.

그냥 저를 죽여 버리겠다고 하세요

…내가 어떻게 스우한테 그런 말을 해?

싸악…

난 못 해….

못 하겠으면 비켜요.

기다려, 스우.
그럼 같이…

따라오지 마!

그냥 좀 기다려…
내가 돌아올
때까지.

나도 생각을
정리하고
싶으니까….

이제 나는…
누굴 배신하네 마네 할
기력도 없다고….

쫓아가야…

…?

몸이
안 움직여.

왜?

여길 좀
벗어나고
이야기하자.

네….

스우가
'명령'해서?

뭐지…?

스우가 원래
이런
사람이었나…?

이 몸도 나름대로
용에 대해
찾아봤는데 말이지.

난 말이야,

용이란 게
정말 존재한다면…

절대
소문이나 전승처럼
신적인 존재는
아닐 거라 생각해.

만약
신과 같은 존재라면
혼자서도
완전할 텐데…

황족의 권능과
공생할 이유가
없잖아.

나 소창천은
상인의 딸로
라한의 귀한 물건은
모조리 가져 봤다.

말인즉슨…
제아무리 용이라 한들
현세에 강림하기 위해선
여러 조건이 필요하고

그게
갖춰지지 않으면
사라진다는 거야.

물건을 사고팔고
만들고 부수고
속이고 속아 넘어가는 걸
수천 번은 봤어.

거기서 이 몸이
깨달은 바는,

뭐… 인간보다
오래 살 순 있겠지만
결코 무한한 존재는
아니라는 거지.

정말 필요한 것은
절대 사라지지
않는다는 거야.

이를테면 금, 화폐, 농사를 지을 땅.

이런 것들은 한 번 생겨난 후 세상에서 사라진 적이 없어.

하지만 용은 벌써 몇 백 년이나 부재했지.

시대는 더 이상 용을 필요로 하지 않아.

비를 내리는 일 자체는 신관들만으로도 충분하잖아?

지금은 인간의 시대이니 용께서는 다시 단잠에 드셔야지.

그나저나 가족이
아홉이나 된다니…

한둘 정도는
없어져도
티도 안 나겠구나.

어, 어찌
그리 무서운
말씀을….

나단도
알고 있는 걸 보면
스우와 보통 친한 게
아니었던 모양인데.

가족들을
생각해서라도,

나를
도울 수
있겠지?

스우를
용에게서
떨어트려 놔.

...스우, 괜찮아요?

잠깐만.

필시 스우가 용의 생사와 직접적으로 관련되어 있을 테니.

네….

사람이 없는 데서 이야기하자. 누가 듣고 있을지 몰라.

스우….

그렇게
말했는데.

절대로
원하는 걸
주지 말라고

그러니까
스우 말은….

이 마을을
나가고
싶다고요?

그래.

네 고향까지만 같이 가게 해 주면 그다음은 내가 알아서 할게.

난 여기 근처 지리는 아예 몰라서.

하지만, 아까 그….

사하라 님과는 이제 떨어져야겠어.

…무슨 일 있었어요?

생각해 보면….

아주 처음부터…
내가 잘못한
걸지도 몰라.

그때
귀비의 사주를 받고
마사에 가지
않았더라면…

사하라 님과
마주칠 일도
없었을 거고,

태자와도
엮일 일이
없었을 텐데….

그럼 나단도
살아 있었을 거고….

……

이제는 누굴
탓할 마음도
안 들어….

내가
다 망쳤어….

잘 들어요
스우.

동행 자체는
어렵지 않아요

107

하지만
스우,

아니….

생각보다 가까이 있다는 느낌에.

희건이 보내 온
전서구에 따르면
사하라 님께서…

스우가 울면
가슴이 찢어질 거
같단 말이야.

예전엔
이 정도까지는
아니었는데…

상당히 인간적인
발언을 하신다던데.

그게 스우를
동화시키고
있으니까.

스우가
용과 같아진다면
그 또한 인간과
같아질 수 있겠지.

그렇다고 해서
포식자로서의 본질까지
달라지지는 않을 거고.

그건 인간을
하등한 종이라 생각해
업신여기니까.

어느 순간 자신이
인간적으로
사고하고 있다는 걸
깨닫는다면,

생각보다
동요할지도 몰라.

희건에게
위험한 상황이 오면
좌시하지 말라고 해.

위험한
상황이라면….

말 그대로야.

나는….

수련처럼은
못 해.

수련이 스우에게
그렇게 할 수
있었던 건

그 자식은 나보다
스우를 좋아하지
않기 때문이야.

스우가 배고파해도
보러 오지
않는 거야.

스우보다
중요한 게
있으니까…

…갑자기
무슨….

뭔가…

평소와
분위기가
달라.

느낌이
안 좋아.

나는,

스우가 원한다면
다 주고 싶어….

스우를 방해하거나
괴롭히는 것들은
없애 버리고,

그래서
스우가 기뻐하면,
다정하게
대해 주면,

행복하다고 하면
그걸로 좋다고
생각했어.

뭔지 몰라도
위험하다는 건
알겠어.

일단
물러나서…

악ㅡ!!

사하라 님!
아파요!!

하지만 난
언제나 마지막에
스우를 화나게
만들어 버려.

그래서 나를
떠나려는 거지?

스우가 없으면
나는 혼자인데….

스우만
인간들 틈에
섞여 사는 건
불공평해.

그럴 바엔….

먹어 치워서
하나가 될래.

콰직!

아악…!!

진심이에요?!
사하라 님!

아…

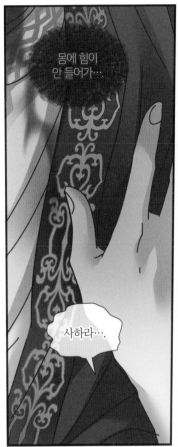

몸에 힘이
안 들어가…

사하라….

벌써 피가
이렇게…

…혈정석

오랜 저주로
수련의 피는
내게 맹독이니까.

11화

스우….

사하라 님….

컥….

아악―!!

돌바닥이
녹고 있어?!

씨익...

사하라 님,
정신 좀….

지익...

씩...

이런 걸
제대로 맞았다간
즉사야!

스우…

콰득…

왜…

왜…!!

큭…!

물러서십시오

진…?

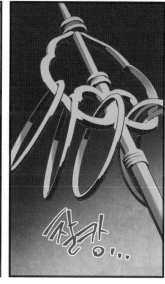

뛸 수
있습니까?

…가회.

하아…

네가 나를 이렇게
미워하는 줄은
몰랐네.

그놈이야?
생각보다
오래 걸렸구만.

갈 길이 머니
쓸데없이 힘 빼지 말고
조용히 가자고.

—미안해요,
스우!!

죽이고 싶을
정도로
내가 싫었어?

하지만
귀비마마께서,

일가친척을
모조리 죽이겠다고
하셔서….

정말
미안해요…!

…하하.

뭐가 우스워?

아니…

가족을 위해
배신한다는 게
부러워서.

140

141

스우⋯.

스우
맞아요⋯?

…그럼 내가
누구겠어?

일어나, 가회.
서둘러서 여길
벗어나야 해.

네?
하지만….

하나 충고하겠는데,
나를 끌고 귀비에게 돌아가
아첨해 봤자
넌 좋은 꼴 못 봐.

퍽!

어차피 네가 죽든,
네 가족들이 죽든
둘 중 하나야.

…그걸
어떻게 알아요?

난 원래
귀비의
시종이었으니까.

귀비가
입궁하기도
전부터.

움찔!

내가 후궁부에서
일했던 것도
그래서야.

내 진짜 주인은
귀비인 셈이지.

사하라 님이 마냥
좋아서 모신 것도,
태자를 위해 일한 것도
아니었어.

가족들 생사는 제대로 확인했어? 네게 거짓으로 협박한 걸 수도 있어.

거짓으로…?

우선은 네 고향으로 돌아가서—

귀비마마께서…

살려서 데려올 수 없으면 죽이라고….

아.

힘을 쓰면 바로
알 수 있다고
했나⋯.

…별일이네.

저렇게 당황한
얼굴이라니.

마치
인간 같잖아.

스우….

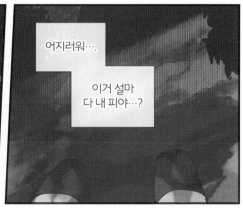

네가
꼬여 내는 바람에
스우가···!

컥···!!

──·······

헉···!
쿨럭···!!

스우···
뭐라고?

방금
뭐라고 했어?

수련의 독 때문에 대신 불어넣어 줄 기(氣)가 없어.

생기가 빠져나간다.

이 몸은 틀렸어.

스우의 숨이 완전히 끊기기 전에,

지금 당장 먹어 치워야 해.

하지만….

뚝

무엇이든
상관없어.

그러니
스우가 나를 먹어.

미…

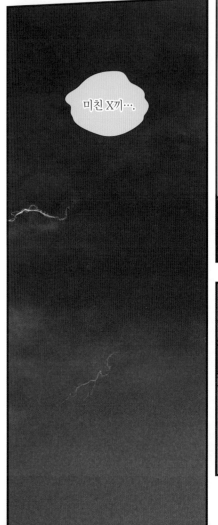

미친 X끼….

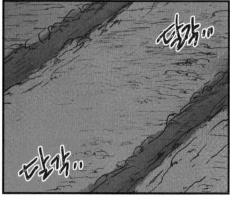

하마터면 가회인 걸 못 알아볼 뻔했어. 제 누나한테 돌아온다고 기별은 했나 몰라, 저 녀석.

다들 무척 고단했나 봐요. 이동하는 내내 곯아떨어져서.

딸각...

...한 명은 병색이 짙던데 저러다 죽을까 무서우니 빨리 가요.

딸깍...

그나저나 같이 온 일행이 특이하네.

어린애 하나에 이국인 하나라니.

12화

마차…

서걱…

서걱…

정신이
들었을 때
가장 먼저
한 일은,

흐아암ㅡ.

아… 스우,
일어났어요…?

스우,
잘잤ー

그걸 발로 차서
떨어트리기였다.

따ー!

스, 스우!
좀 참아요!!

다른 사람들 눈에는
어린아이를 학대하는
쓰레기로 보일
뿐이라고요!

물론 곧
구멍 난 배가
쑤셔서
기절했다.

컥…!

으아아아아아앙-!!

스우가
나를 때렸어-!!

그리고 두 번째로
눈을 떴을 때도
가장 먼저 한 일은,

아, 스우.
깼어요?

입고 있던 옷은
빨았어요.
여긴 빈집인데….

스우!
아파!!

그걸
그대로 집어서
창문 밖으로
내던지기였다.

으악. 스우!!
작은 마을이니까
너무 눈에 띄는 행동은
하지 마세요!!

끄아아앙-!!
스우가 나를
집어던졌어-!!

세 번째로
눈을 떴을 때에는
고요했다.

며칠이
지났는지는
모르겠지만…

아, 스우…

일어났어?
이거 바꿔 줄게.

배는
안 고파?

세 번째에도
가장 먼저 든
생각은…

스우,
아파…!

'이걸
떼어 내야 해.'

이게
약해졌을 때
떼어 내지
않으면,

아야…!

스…

마음이 내키면
데리러 올게요.

날 쫓아오거나
여기서 움직이면

두 번 다시
예전처럼 지낼 일은
없을 테니까.

앞으로는 기회가
없을 것 같다는
예감이 들어.

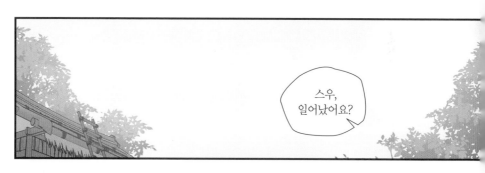

스우,
일어났어요?

오늘은
몸이 좀 어때요?

…어라.

혼자 있네요?
그… 황자님은
어디 가셨어요?

난 원래
혼자였어.

또 어디로
보낸 거예요?

알 바 아니잖아.
이 와중에도
황자란 소리가
잘도 나오네.

존, 존칭을
어떻게 해야 할지
모르겠어서…

…아무튼
상처는 좀
어때요?

상태를 보려고 해도
그… 황자님이
찰싹 달라붙어
떨어지지를 않아서.

네 가족들은?
무사해?

…모두 무사한
모양이에요.
아직까지는….

특별히
이상한 낌새는
없었다고 하고….

원래 그런 게
특기인 사람이야.

있는 것도
없는 것처럼,
없는 것도
있는 것처럼.

어쩌면 전부
공갈 협박이었을지도
모르겠어요.

스우한테 정말
미안한 일을
하고 말았네요….

…저기,
저희 가족들이랑
만나 보실래요?

너희
가족이라면….

아까부터 거기 있는 저 코찔찔이들?

앗! 얘들아!

밖에서 조용히 기다리라니까!

우와 이국인이다━━!!

이놈들, 삼촌 손님한테 공손하게 말해야지!

저 사람 누구야? 어느 나라 사람이야?

저기, 시끄러우니까 혼자 좀 쉬게 해 줄래?

이제는 안다.

아… 미안해요.

그, 오늘 저녁은 추울 것 같으니까 창문 꼭 닫고 자요.

뭐야, 쌀쌀맞아━….

나는 영원히
저 틈에 섞일 일이
없을 거라는 걸.

왜냐하면 나는,
아무도 갖고 싶어
하지 않는

진흙투성이에
너절한 것만
가질 수 있으니까.

에헤헤….

병들고,
어딘가
이상하고,

나 자신까지
위협하는
것들만이

…뭐예요,
그 얼빠진 얼굴은?

슬슬
와 줄 거라고
생각했어.

어제 저녁부터
밤공기가
차가워졌으니까.

스우는
마음이 약하거든.

나만의 것이다.

밤에는
쌀쌀할 거라고 해서
분명히 창문을
닫아 두었는데

어디선가 계속
달콤한 냄새가 난다.

정말
필요 없어요?

모처럼
아랫마을에
의원이 왔다는데….

그 김에 스우도
같이 봐 달라고 하면
좋잖아요.

외상은 없는데
열도
계속 나고….

그리고 보면 스우는
대체 제 눈앞에서
몇 번이나
찔리는 거예요!

두 번째는
너 때문이잖아….

칼에 찔렸던 곳은
아직 통증도
있다면서.

ㅡ아 됐어, 됐어.
얼른 너네 집
떨거지들이나 전부
데리고 나가.

174

하지만
진짜 괜찮아.

괜찮지
않으면
어쩌겠어.

내일 당장
죽는다고
정해진 것도
아닌데.

마을이
작게 보이네요.

이렇게 보면
다 그냥
점 같은데….

하나하나
각자의 인생을
살아간다는 게
신기하죠.

응.

…스우,
배고픈 거
너무 오래 참으면
안 돼.

인간을 먹을까 봐
혼자 있으려고
하는 거지?

이런…
말도 안 되는
힘 같은 거,

어차피 이렇게
될 거였다면
진작 생겼으면
좋았을 텐데.

그럼 죽을 고생해서
사막을 건널 필요도
없었을 거고….

…잘 아네요.

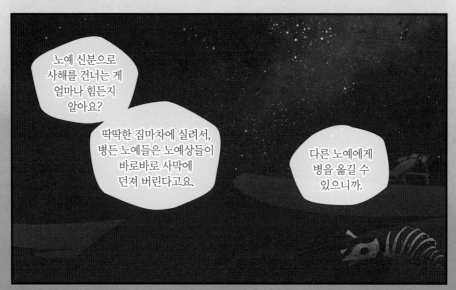

노예 신분으로
사해를 건너는 게
얼마나 힘든지
알아요?

딱딱한 짐마차에 실려서,
병든 노예들은 노예상들이
바로바로 사막에
던져 버린다고요.

다른 노예에게
병을 옮길 수
있으니까.

그 고생이 결국
전부 이렇게 되기
위해서였다고 생각하면
뭔가…

허무하기도 하고…
엉망진창이네요,
제 인생은….

스우,
고마워.

그렇게 힘들게
나를 만나러
와 줘서.

…진,

진짜 어떻게 그렇게
자기 위주로
편하게 생각하지?!

존경스러울 정도야,
이제…

그치만
진짠뎅.

완전 뻔뻔…

…아.

뭔가…
맛있는 냄새가
나지 않아요?

또다.
달콤한
냄새가 나.

180

…아니,
나한테는 안 나.

그래요?
그냥 여기
풀 냄새인가?

스우가 먹을 거
이야기하니까
갑자기 나도
배고파졌어.

그치만 인간은
못 먹게 하니까
여기서 적당히 큰 걸
잡아먹고 갈게.

뚝

뚝

윽, 또 그렇게
날 것을….

스우는 먼저
마을로 내려가.

내장부터 쭉쭉
뜯어 먹을 거거든.

…화났나?

아니. 내가 왜 저거 기분까지 하나하나 신경 써야 해?

그냥 냅두면 알아서 배 채우고 돌아오겠지.

대체 어디서…

그나저나 이 달콤한 냄새…

산사나무 열매로 만든 사탕인가?

뭐야, 이거 때문이었구나.

사탕 정도는 사하라 님도 먹었던 것 같은데.

사는 김에 가회나 그 꼬맹이들 것도 사 갈까.

우와ー!!

제 딸이 아닌….

…데요.

네, 보니까
금방 알겠네요.

쌍둥이구나.
둘이서 하나라니
부럽네.

웃차.

와─!!
엄청 높아!!

스우는 여기서도
애 보기인가요?

나도
해 주세요——!!

변함없는 건
좋네요

…꿈인가?

왜 이 남자가
이런 데서 여유롭게
웃고 있는 거야.

주춤ᵒᵒᵒ

스우, 설마….

도망가려는 건 아니겠죠?

소음질!

윽…

그러니까 걔네는 나랑 관계없는…

너네 내려와!! 모르는 사람한테 그렇게 덥석덥석 안기면 안 되지!

에에엥— 그치만….

이 아이들이 어떻게 되든 상관없다는 건가요?

이 공자님 잘생겼는걸—!

이 공자님 나쁜 사람 아니야—!

고맙구나.

큰일 날 애들이네, 얘네?!

…지금 건
농담입니다.

자, 이제
내려가야지.

겁먹게
하려던 건
아니었어요.

그저 잠깐—

공자님.

도망갔어요.

엄청 빠르다~.

휘잉

도망갔어요—!

헉….

왜…!!

헉…!

저 남자가
대체 왜
여기 있는 거야?!

설마 사하라 님이
부른 건가?

일단 문부터
닫아야…

스우도 참…

끄아아아악!!

음짠…

손님이 왔는데 차 한잔도 내어 주지 않는 건가요….

초대한 적 없어요!!

모처럼 다정하게 대하는 중이었는데 왜 도망가는 겁니까?

일개 시종이 감히 황태자를 독살하려 한 것도 추궁하지 않았잖아요.

지금 추궁하고 있잖아요!

절대 안 열 거니까 다치기 전에 빨리 팔 빼요!

흐응….

아.

소, 손가락이…
괜찮아요?!

잠깐
고정할 테니까
다치기 전에
빨리 빼요!

웃…
이거 생각보다
꽤 아프네요.

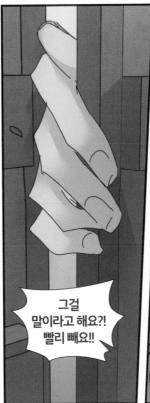

그걸
말이라고 해요?!
빨리 빼요!!

그러다가
손톱이라도
빠지면….

ㅡ악!!

불쌍한 스우.

하….

나한테…

그다음에
뭐라고 말하려던
거였습니까?

정말이지….

그게 신경 쓰이기
시작한 날에는
잠도 제대로
못 잤습니다.

그런 일이
있었는데도

잘도 내 앞에
여유롭게 웃으며
나타나는구나,
라고 생각했다.

하지만
이제야 조금
알 것 같아.

나한테…

스으…

…스우?

그렇게
보이려 하는
이 남자의
위장을.

나한테
사과하세요.

나를 이용하고,
속이고, 가두고…
나쁘게 군 거요.

바보같이,

사과하면…
잊어 줄 수도
있어요.

전부 다는
아니겠지만….

왜 눈물이
나는 거야.

왜

이 남자 앞에서는
조금도 침착할 수
없는 거냐고.

싫습니다.

사과할 일 따위는 하지 않았어요.

과거로 되돌아가도 전 분명히

똑같이 스우를 속이고, 이용하고, 기만할 거예요.

왜 나를 자꾸만

어차피 스우도 마찬가지죠.

과거로 되돌아가도 스우는 분명히 내게 다시 독배를 올리러 올걸요.

그런 눈으로 보는 거야.

까악

사과할 필요는 없어요, 그저….

마치 나를
사랑이라도
하는 것처럼.

다시 한번
구해 주십시오

13화

발밑이 무너지는
느낌이 들었다.

그를 붙잡고
있지 않았다면

어디까지
떨어져 내렸을지
모르겠다.

단단한 손이,

달콤한
향기가,

혀가
기분 좋아.

너무….

더….

하아….

너무 맛있어….

…….

…….

앗, 제가 너무 놀랐나요? 노골적인 희롱은 익숙지 않아서.

아니, 말이 잘못 나온 것뿐이에요!

아까부터 계속 달콤하고 맛있는 향기가 난다고 생각해서….

스우는 제 걸 좋아하죠.

어쩔 수 없죠. 혈정석만으로는 부족했을 테니.

이제 숨길 필요 없잖아요.

부디.

……

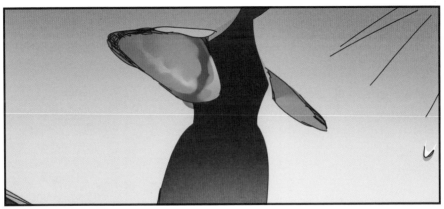

으응….

스우. 열이 좀
있는 것 같네요.

다쳤습니까?

응… 그만….
그만 해요, 이제.

충분히
먹었어요….
앞으로 며칠은….

스우,
이전에 한 말
기억나나요?

치유를 위해
기를 나누는
데에는…

210

교접이 효과가
빠르다고

그런 말
기억 안 나요···!

곧 기억나게
될 거예요

앗···!

안 돼.
진짜 안 돼요
여기는 꼬마들도
자주 들락거리고….

아직 낮이고,
밖에 들리기라도
하면….

—밖에
들리기라도 하면

대낮부터
남사스럽다는 생각에
아무도 가까이
안 오겠죠.

사람 열 받게 하는
뻔뻔함은
여전하군요….

그리고,

사하라 님이…!

멈칫...

흐응….

그렇게
의식하는 걸 보니
이미 냉큼 상
자 버렸나 보죠?

아차…!

…뭐, 스우는 외로우면 누구와라도 금방 자 버리니까.

내가 언제….

그는 아마 금방은 안 올 겁니다.

왜….

왜인지 알잖아요.

정 마음이 불편하면,

앗ㅡ!

지금부터 저와 하는 건

'배신'이 아니라 '식사'라고 생각하세요.

하….

누구라도
나를
비난해 줘.

정신이
들었습니까?

갑자기 기절해서 깜짝 놀랐습니다.

…누구 때문이라고 생각해요.

어쩐지…

말해야 할 것 같은 기분에

저기….

황궁을 나오기 전에

용소에서 물에 빠졌을 때….

깊은 물속에서
어린 당신을
보았다고 말하자—

그는 조금
놀란 듯하더니

곧
아무렇지 않게
그러냐고
대답했다.

황궁으로
돌아가죠,
스우.

스우는 그래 봬도
인간성을 지키면서
살고 싶어 하잖아요.

황궁으로
돌아가서···.

가서?

뭐, 일의
성사 여부에 따라
저랑 같이
죽든지, 살든지

둘 중 하나는
하게 되겠죠.

뭐, 황제가 되어도
평생을 황궁 안에서
답답하게 살다가
죽을 테니.

결국 죽는
시기만 다를 뿐
결말은 비슷하죠.

츠ㅁ

츠ㅁ

스ㅁ

···당신은
그런 결말에
나를 데려가고
싶은 건가요.

네. 몹시도.

마침 신궁
궁주의 자리가
오랫동안 공석이라
적당한 인물이
필요하기도 하고요.

신궁이
지지기반이
되어 준다면
즉위의 명분도
서고요.

호국룡의
총애를 받는
스우에게
적임인 자리죠.

저를 향한
정이 깊다면

그렇게
해 주세요

스우가 떠난 뒤
꽤 쓸쓸했답니다.

223

…이대로,

함께 어딘가로
떠나자는 말은
안 하나요?

농사를
짓고 싶다고
했잖아요.

수수밭을…
갖고 싶다고요.

캥!!

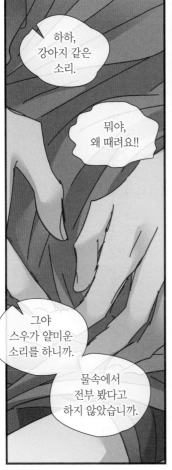

하하,
강아지 같은
소리.

뭐야,
왜 때려요!!

그야
스우가 얄미운
소리를 하니까.

물속에서
전부 봤다고
하지 않았습니까.

이제 와서
농사를 짓기에는
너무 많은 일이
있었어요.

…나도

이제 와서
내가 원치 않는
삶을 살기엔
너무 많은 일이
있었어요.

뭔가 착각하고 있는 것 아닌가요?

......?

저도 이런 삶을 원하지 않았답니다.

원래 인생은 뜻대로 되지 않고 덧없는 것이니,

그냥 전부 다 한바탕 꿈이라고 생각하세요.

그렇게 적당한 태도가 맘에 안 드는 거예요!!

난 언제나 최선을 다해서 생존해 왔다고요!

태자 전하도 사하라 님도….

마치 내가 당신들을 위해 존재하는 게 당연하다는 태도잖아요.

너무 당당해서… 뭐랄까.

정말로 그런 건가? 싶기도 하고….

그도 이와 비슷한 말을 했습니까?

비슷하다고 해야 하나….

제가 라한까지 죽을 고생을 하며 사해를 건너온 게

자기를 만나기 위해서였다고 말하더라고요.

사하라 님은 인간이 아니니까….

인간인
나로서는
뭔가…

조금 면죄부를
받은 느낌….

물론 첫 만남은
형편없었지요,
아하하.

…….

스우가 살아온
이야기가
듣고 싶습니다.

엑,
말하기 싫어요.

왜요?
남의 건 맘대로
훔쳐봐 놓고.

그, 그건
불가항력이었지만
어쨌든 미안하게
생각해요….

게다가 전하도 절대 스스로 자기 이야기를 들려주진 않았을 거고요.

그랬을까요?

네!

하긴, 그랬을지도….

집요하게

물어 오지 않아서 고마웠다.

아, 첫 만남 하니 떠오른 건데….

그때 왜
제 마사 근처에서
얼쩡대고 있었던
겁니까?

후궁부에서
거기까진
그래도 거리가 꽤
있잖아요.

켁!

거기가
태자 전하의
마사였어요?!

축일까지
아주 잠깐만
임시로 쓰고
있었어요.

말들은 호구룡이
다 먹어 치웠지만.

왜요?

그, 그게…….

그때…
귀비마마께 그 마사의
검은 말에게 수상한 약을
먹이라 명령받아서….

아마… 전하를
낙마사시키려고
갔던 걸지도….

…큭.

아.

하하하하!!

이렇게
크게도
웃는구나.

말의 주인이
전하인지는
몰랐어요….

고의로
죽이려던 건 아닌…
아니, 고의지만…
그러니까 전부
고의는 아닌….

쿡쿡쿡

스우는 아무래도
이번 생에선
절 죽이지 못하려나
봅니다.

저와 아침까지
함께 있고
싶은가 보죠?

그런 말 한 적
없거든요.

…가는 건가요?

돌아가야죠.
여기까지 나온 것도
꽤나 고심한
것이라….

어린애의 침상을
뺏을 수도 없는
노릇이고요.

어린애로 다시 돌아온 건 어떻게 알았어요?

부하 중에 유능한 주술사가 있어서요.

한 달 이상 떠돈 것 치고는 비교적 제도와 가까운 곳에 머물고 있어서 놀랐습니다.

아니었다면 지금 같은 여유는 없었을 거예요.

고작해야…

반나절 안 되게 같이 있던 정도의 여유?

…스우,
정말로 저와 헤어지기
싫은가 보죠?

본인이 떠날 땐
뭐라 말할 틈도 없이
순식간에
가 버리더니.

누, 누가요….

…….

잘 들으세요,
스우.

내일 아침.

※진시(辰時)까지만
저는 아랫마을에
머무를 겁니다.

※진시(辰時): 오전 일곱 시부터 아홉 시.

마음의 결정을
내렸다면, 호국룡과
함께 오세요.

하지만
만약…

스우가
어떻게 해서라도
저와 황궁으로 돌아가기
싫다고 한다면….

그것 또한
어쩔 수 없는
일이겠죠.

235

이 몸이
살아 있는 동안은
스우가
어디에 있든

최소한
굶어 죽진 않도록
애쓸 겁니다.

그러니 안심하고…
떠나고 싶다면,
떠나도 괜찮아요.

부탁이니
함께 돌아가자고,

억지로 데려가서…
인생을 뺏겼다는 원망을
듣고 싶지는 않거든요.

함께 있어 준다면
원하는 모든 것을
주겠다든가,

무엇이든
하겠다든가,

좀 더
열정적이고
비이성적인
권유였다면…

…아침까지
생각해 볼게요.

내일 아침이 되어도
내가 가지 않으면
늦기 전에
황궁으로 떠나세요.

아마 나는 바로
그렇게 하겠다고
고개를
끄덕였을 텐데.

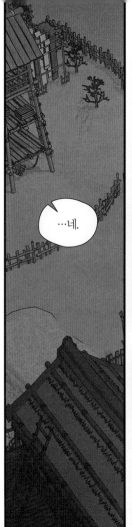

수행원도 없이
혼자 움직이나요?

…네.

이런 데선
그쪽이 더
눈에 띄니까요.

참, 스우.

아바마마의 성지를
가지고
있었다면서요?

…사하라 님이
갑자기 꺼내서
모르는 언어로
읽었는데,

황제의 성지라는 걸
눈치채자마자
불태워서 없앴어요.

...아니,
말해 주지 않았어요.
물어보셔도 전 몰라요.

하하,
뭘 신경 써 주는
건가요.

떠나기 전,

열이
완전히 내렸는지

확인하기 위해
이마를 짚어 본 게
마지막이었다.

어째서 내가
사랑하는 것들은

나를 쉽게
포기하는 걸까.

사하라 님.

언제 들어오시려고
아직까지
이러고 있어요?

......,

스우,
볼이 빨개.

242

그동안 내내 하얬는데….

자,

이렇게 하면… 사하라 님한테도 좋은 거 맞죠?

뭐, 나는 스우의 배가 부르다면 그걸로 좋아.

하나도 안 좋아.

앞으로 안아 줘야 좋아.

네네~ 분부대로 해 드려야죠.

…사하라 님.

응?

저를 좀 더 꽉 안아 보세요.

…이렇게?

으응…. 애기라 팔이 짧아서 그런가 뭔가 느낌이 안 나네.

팔 짧다고 하찌 마!!

혀도 짧아지고….

원망을 모두 흘려 버리자,

…더 꽉이요

마치 저 말고는 아무것도 필요 없는 것처럼….

가슴 속이 텅 빈 듯했다.

하지만
나는
알고 있었다.

스우가 그렇게
말하지 않아도

내가 원하는 건
스우밖에 없어.

일견,
텅 빈 것처럼
보이지만…

사실,
마음속 한가득
흘러넘칠 정도로
차 있는 것이었다.

공허가
그러했다.

〈용이 비를 내리는 나라〉 3부. 3권에 계속

3부
2

© summer 2018 / D&C WEBTOON Biz

초판 발행 2023년 8월 31일

글/그림 썸머

펴낸이 이왕호
본부장 곽혜은
편집팀장 장혜경
책임편집 구유희
표지 디자인 최은아
본문 디자인 SONBOMCOMICS 이다혜
타이틀 디자인 크리에이티브그룹 디헌

국제업무 박진해 김수지 전은지 유자영 박이서 남궁명일
온라인 마케팅 박선혜 김경태 박서희
영업 조은걸
관리 채영은
물류 최준혁

펴낸곳 (주)디앤씨웹툰비즈
출판등록 2020년 12월 9일 제25100-2020-000093호
주소 서울시 구로구 디지털로26길 123 지플러스타워 1305~8호 (08390)
대표전화 (02)853-0360 **팩스** (02)853-0361
전자우편 book@dncwebtoonbiz.com
블로그 blog.naver.com/dncent

ISBN 979-11-6777-130-8 (07810)
          979-11-6777-127-8 (set)